Ce livre appartient à

Trésors de Benjamin – L'école

Benjamin est la marque déposée de Kids Can Press Ltd.

Catalogage avant publication de la Bibliothèque nationale du Canada

Bourgeois, Paulette
[Franklin's school treasury. Français]
 Trésors de Benjamin : l'école / Paulette Bourgeois ; illustrations de Brenda Clark ;
 texte français de Christiane Duchesne.

Traduction de: Franklin's school treasury.
Sommaire complet: Benjamin va à l'école -- Bravo Benjamin! --
Benjamin au musée -- Benjamin et son voisinage.

ISBN 0-439-97012-1

I. Clark, Brenda II. Duchesne, Christiane, 1949- III. Titre.
IV. Titre: Franklin's school treasury. Français.

PS8553.O85477F89214 2003   jC813'.54   C2003-902399-0
PZ23

Trésors
de
Benjamin

❧ L'école ❧

Paulette Bourgeois • Brenda Clark

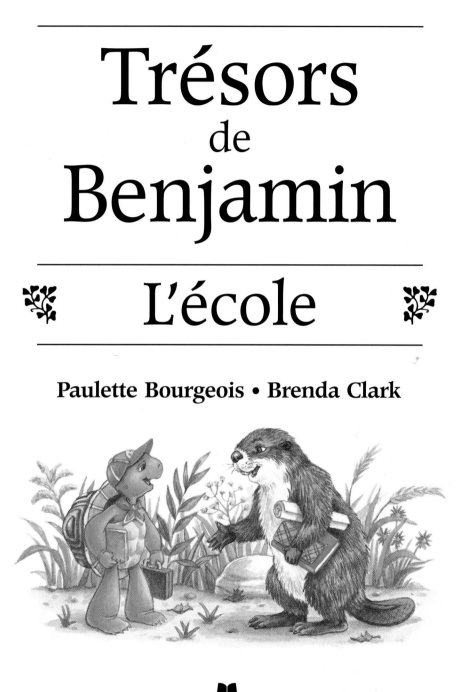

Les éditions Scholastic

Sommaire

Benjamin va à l'école

Benjamin sait compter par deux et
lacer ses chaussures. Il sait remonter sa
fermeture-éclair et attacher ses boutons.
Mais il est inquiet, car il doit entrer à l'école.
C'est un grave problème : Benjamin va à
l'école pour la première fois.

Benjamin se réveille en même temps que le soleil.

— Ma première journée d'école! dit-il à Vermillon, son poisson rouge.

Benjamin place dans son étui une règle, une gomme à effacer, un crayon à mine et douze crayons de couleur qu'il a aiguisés lui-même.

Puis il va réveiller ses parents.

13

— Vite! leur dit-il. Je ne dois pas être en retard à l'école.

La mère de Benjamin regarde le réveil.

— Même ton professeur dort encore, dit-elle en riant. Il est trop tôt.

— Tu dois être très excité, dit son père.

Benjamin approuve de la tête.

Il est si tôt qu'ils ont le temps de préparer un gros déjeuner.

— Pour bien travailler à l'école, il faut avoir le ventre plein, dit le père de Benjamin.

Mais Benjamin n'a pas faim.

— J'ai déjà le ventre plein, dit-il. On dirait qu'il est rempli de grenouilles.

Sa mère le serre très fort.

— Moi aussi, je me sentais comme ça, le premier jour où je suis allée à l'école. Mais ça passe.

Benjamin mange un petit peu. Il vérifie son sac pour la deuxième fois. Enfin, c'est l'heure de partir pour l'école.

À mi-chemin entre la maison et l'arrêt d'autobus, Benjamin se prend le ventre à deux mains.

— Je ne veux pas y aller, dit-il.

Son père le serre très fort.

— C'est comme ça que je me sentais quand j'ai commencé l'école, dit-il. Regarde, tous tes amis sont là.

Il y a foule à l'arrêt d'autobus. Des frères, des soeurs, des pères, des mères.

Lili Castor a apporté ses livres préférés.

— Je peux les lire, dit-elle.

— Tous? demande Martin Ours.

— Oui, répond-elle fièrement.

Benjamin se frotte le ventre.

Basile Lapin sort un cahier tout neuf.

— Ma soeur m'a montré à écrire mes chiffres, dit-il.

— Tous? demande Raffin Renard.

— Presque tous, se vante Basile.

Benjamin regarde sa mère.

— Je veux rentrer à la maison, dit-il.

— Nous t'attendrons à la fin de la journée et tu nous raconteras tout, dit sa mère.

Quand l'autobus arrive, Basile agrippe la main de sa soeur et monte. Martin s'attarde sur une marche et ne cesse d'envoyer la main. Benjamin embrasse sa mère, puis son père. Il les serre encore très fort, même quand ses amis sont tous assis.

L'autobus s'éloigne et Benjamin regarde par la fenêtre. Il ne sait pas s'il est vraiment prêt pour l'école.

— Est-ce que le professeur va crier? demande Basile qui sursaute toujours pour un rien.

— Est-ce qu'il y a des toilettes à l'école? demande Lili en remuant sur son siège.

— Quelqu'un a une collation de trop? demande Martin qui a déjà mangé la sienne.

Benjamin ne dit rien. Le parcours semble long, très long.

Quand ils arrivent à l'école, le professeur les attend. Monsieur Hibou les salue d'une voix très douce. Il leur indique où accrocher les manteaux, où s'asseoir. Il leur montre le chemin des toilettes et offre à chacun un morceau de fruit.

Puis Martin et Lili vont dans le coin de lecture. Basile va jouer à faire la cuisine. Mais Benjamin reste sur sa chaise.

29

— Qu'est-ce que tu as envie de faire aujourd'hui
Benjamin? demande monsieur Hibou.

— Je ne sais pas, dit Benjamin en se frottant
le ventre. Je ne sais pas écrire mes chiffres comme
Basile. Je ne peux pas lire comme Lili.

— Basile et Lili vont apprendre de nouvelles
choses à l'école, tout comme toi.

Benjamin se met à dessiner.

— Je vois que tu dessines très bien,
dit son professeur.

Benjamin se redresse sur sa chaise.

— Je connais toutes mes couleurs, dit-il.

— Et celle-ci, c'est laquelle? demande monsieur Hibou en lui montrant un crayon de couleur.

— C'est un bleu spécial, dit Benjamin. Turquoise.

— Tu viens de m'apprendre quelque chose, dit monsieur Hibou. Y a-t-il quelque chose de spécial que *toi*, tu voudrais apprendre?

Il y a tellement de choses à apprendre que Benjamin a du mal à choisir.

Il demande finalement à monsieur Hibou de l'aider à lire son livre préféré.

Benjamin construit une tour en cubes.

Il classe l'argent du magasin de la classe et il fait quatre dessins : un pour le professeur, un pour lui, et deux pour ses parents.

C'est une journée merveilleuse.

Sur le chemin du retour, Benjamin est assis à l'arrière de l'autobus. Il saute au même rythme que l'autobus. Il a tant de plaisir qu'il oublie presque de descendre à son arrêt.

Ses parents l'attendent.

— Comment va ton ventre? demandent-ils.

Benjamin s'étonne. Il a eu une si bonne journée qu'il a complètement oublié son curieux mal de ventre.

— J'ai le ventre vide! dit-il.

— Ça va passer aussi, dit son père.

— Tiens, je l'ai fait pour toi, dit la mère de
Benjamin, en lui offrant sa collation préférée,
une tarte aux mouches.

— Et moi, j'ai fait ceci pour vous, dit-il.

Il donne à ses parents ses deux dessins et
deux gros baisers.

Bravo Benjamin!

Benjamin sait compter dans le bon sens et à reculons. Il connaît son numéro de téléphone, son adresse et le nom de six formes géométriques. Mais parfois, il oublie. Quand monsieur Hibou lui demande de jouer le rôle principal dans la pièce de théâtre que va jouer la classe, Benjamin est très inquiet. S'il allait oublier son texte?

Tous les mois de décembre, les élèves de
monsieur Hibou préparent ensemble
un spectacle. Cette année, c'est «Hommage
au Casse-Noisette».

Benjamin a vu le ballet de Casse-Noisette avec
ses parents et il a écouté la musique à la maison.
Il aime l'histoire de la petite fille et du soldat de
bois qui s'anime.

Le texte de Benjamin est long. À la maison,
il répète ses phrases sans arrêt.

— J'espère que je n'oublierai pas ce que j'ai
à dire, dit-il à ses parents.

— Si tu répètes bien, tout ira comme sur
des roulettes.

Benjamin n'est pas convaincu.

Une semaine avant le spectacle, la classe bourdonne d'activité. Chacun a un travail important. Béatrice Bernache étudie son texte. Lili Castor pratique ses pas de danse. Les musiciens apprennent leurs chansons.

— Merveilleux! Merveilleux! dit monsieur Hibou.

Mathieu Raton dirige la construction
des décors. Son équipe a déjà découpé, collé
et peint la plupart des panneaux. Ils travaillent
maintenant à décorer le sapin. «Ce sera
spectaculaire!» songe monsieur Hibou.

49

Martin Ours est responsable des costumes.
Avec ses amis, il en crée de superbes avec des retailles
et des morceaux trouvés ici et là.

Quand monsieur Hibou voit les résultats,
il applaudit en disant :

— Magnifique!

Les comédiens s'entraînent à parler fort et clairement. Odile Blaireau sert de souffleur : c'est elle qui donne le texte à ceux qui oublient une réplique.

— C'est extraordinaire, dit monsieur Hibou. Mais où est passé Benjamin?

Mathieu montre l'armoire à peinture.

53

Benjamin montre le nez.

— J'ai besoin d'un endroit calme pour apprendre mon texte. J'ai tout su jusqu'au milieu et puis, j'ai oublié.

— Nous allons travailler le texte ensemble, suggère monsieur Hibou.

À la fin de la journée, Benjamin sait parfaitement son texte.

— Bravo! dit monsieur Hibou.

Vient le jour du spectacle. Le programme est imprimé, les sièges sont installés. Pour la première fois, les élèves répètent sur la vraie scène. Monsieur Hibou indique à chacun sa place, Basile Lapin, nerveux n'arrête pas de taper du pied.

— Un peu de calme, dit monsieur Hibou. Rideau!

Benjamin répète son texte dans sa tête.

Le rideau s'ouvre. Benjamin se tait.

— Il est temps de commencer, murmure monsieur Hibou.

Benjamin essaie de parler, mais sa gorge est nouée. Chaque fois qu'il regarde les sièges vides, il est terrifié.

— Psitt! dit Odile. Je vais te souffler ton texte.

Benjamin n'a pas besoin d'un souffleur.

Il sait très bien son texte. Mais il n'arrive pas à le dire à voix haute.

Monsieur Hibou prend Benjamin à part.

— Tu as sans doute le trac, dit monsieur Hibou. Essaie de ne pas penser au public.

Benjamin essaie encore trois fois. Mais chaque fois que le rideau s'ouvre, sa bouche refuse de parler.

Il ne veut pas abandonner, mais le temps file. Benjamin demande à monsieur Hibou si Odile peut le remplacer. Elle peut jouer le Casse-Noisette puisqu'elle connaît le texte par coeur.

Ils reprennent encore une fois. Mais on n'entend pas Odile au fond de la salle.

Monsieur Hibou donne un petit coup de coude à Benjamin.

— Aide-la un peu, dit-il.

Benjamin se place à côté d'Odile.

— Essaie de parler comme ceci, dit-il.

Benjamin parle d'une voix forte. Il ne veut dire que la première phrase, mais il s'emporte et récite tout son texte.

Lorsqu'il termine, tout le monde applaudit.

— Tu as vaincu le trac! dit monsieur Hibou.

— Je crois bien que oui, dit Benjamin en riant.

Odile est soulagée.

Le lendemain, lorsque le rideau s'ouvre,
Benjamin voit sa famille, assise au premier rang.
Il prend une grande inspiration.

Il prononce les premiers mots d'une voix sourde et rauque. «Continue», se dit-il. Et c'est ce qu'il fait. Benjamin joue si bien qu'il finit par croire qu'il est le vrai Casse-Noisette.

C'est un merveilleux spectacle. À la fin, les spectateurs applaudissent debout. Benjamin et ses amis saluent quatre fois.

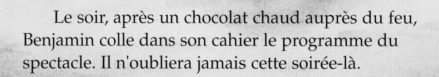

Le soir, après un chocolat chaud auprès du feu,
Benjamin colle dans son cahier le programme du
spectacle. Il n'oubliera jamais cette soirée-là.

Benjamin
au musée

Benjamin sait compter par deux et nouer ses lacets. Avec sa classe, il a déjà visité la boulangerie, le poste de pompiers et le magasin d'animaux. Aujourd'hui, la classe de Benjamin s'en va au musée. Benjamin est tellement excité qu'il peut à peine avaler son déjeuner.

C'est un vaste musée, avec de larges escaliers et d'immenses portes.

— Oh! comme c'est grand! s'exclame Benjamin.

— Il le faut bien, dit Lili, il y a de vrais dinosaures, là-dedans!

Lili est déjà allée au musée. Elle le connaît par cœur.

— D'énormes dinosaures! insiste-t-elle. Tellement gros qu'ils mangeaient des arbres pour déjeuner.

Benjamin n'ose pas demander ce qu'ils mangeaient pour dîner.

Benjamin s'assoit sur une marche.

— Qu'est-ce qui ne va pas? demande
Arnaud.

— Lili dit qu'il y a de vrais dinosaures dans
le musée.

Dans l'entrée du musée, monsieur Hibou répète les consignes : pas de cris, pas de course, et on reste ensemble.

— Un autre point, monsieur Hibou, ajoute Lili. Attention aux dinosaures!

Ludo et Martin se mettent à rire.

Benjamin ne rit pas du tout. Il se rapproche de monsieur Hibou.

Ils s'arrêtent d'abord à la caverne des chauves-souris. À l'intérieur, il fait très noir. On n'entend que des couic et des couac.

— Qu'est-ce que c'est? demande Benjamin.

— C'est le son que font les chauves-souris pour trouver leur chemin, dit Lili en rigolant.

Benjamin se sent mieux : au moins, ce ne sont pas des dinosaures.

81

La classe visite ensuite la forêt tropicale.

Benjamin monte dans une maison, tout en haut d'un grand arbre d'où il peut voir la cime des autres arbres!

— Tu aperçois des dinosaures? demande Arnaud.

Benjamin secoue la tête et redescend rapidement.

Il y a tant à voir dans le musée que Benjamin en oublie presque les dinosaures. Dans la salle médiévale, il s'amuse à se déguiser en chevalier.

Benjamin va même creuser dans un terrain de fouilles. C'est lui qui, le premier, trouve une pointe de flèche.

Il se sent comme un vrai archéologue.

— Le meilleur s'en vient, dit Lili, lorsque tout
le monde s'installe à la cafétéria.

— Oui, dit Martin, le lunch!

— Je crois que Lili parle plutôt de la salle des
dinosaures, dit monsieur Hibou avec un sourire.

Benjamin sent sa gorge se serrer.

— Je suis trop fatigué pour continuer,
murmure-t-il. Je vais rester ici un petit moment.

— Moi aussi, ajoute Arnaud.

— Vous oublierez vite votre fatigue quand vous
verrez les dinosaures, dit monsieur Hibou.
Finissez de manger, et on y va!

C'est à contrecœur que Benjamin et Arnaud
suivent d'immenses empreintes le long d'un
corridor bordé d'arbres.

On entend un terrible rugissement, le
plancher tremble, et Benjamin aussi.

— Aaaah! hurle Benjamin en tournant un coin.
Droit devant lui, s'ouvre la gueule pleine
de dents d'un tyrannosaure.

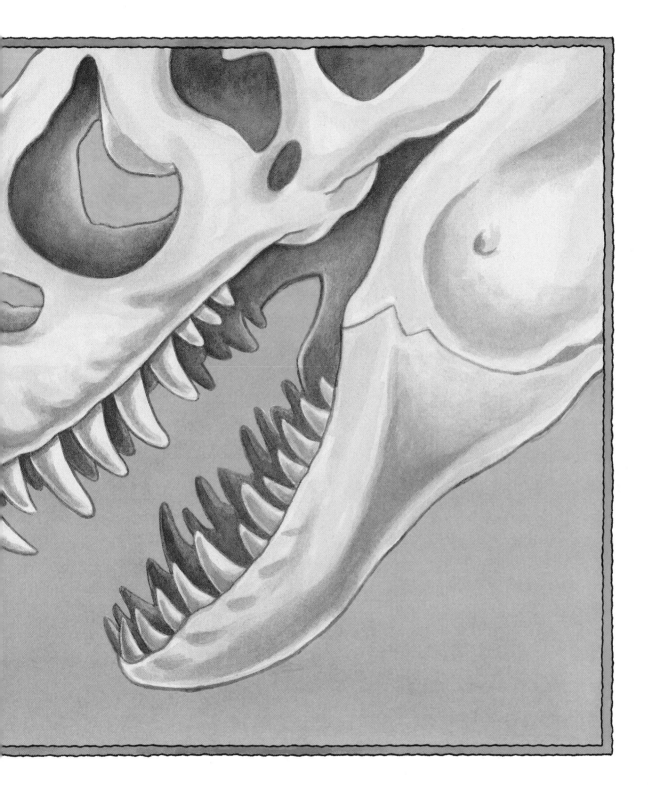

Benjamin plisse les yeux.

— Ce sont seulement des os! Ce ne sont pas de vrais dinosaures! Ils ne sont pas vivants!

— Vivants? Bien sûr que non, dit Lili en riant. Le dernier des dinosaures est mort depuis des millions d'années. Benjamin, tu fais toujours des superblagues!

— Super, oh oui! murmure Arnaud.

En sortant, Benjamin et Castor passent devant la salle égyptienne.

— La prochaine fois, dit Lili, il faut que tu visites le tombeau. Il y a une momie à l'intérieur.

— Une quoi? Une mamie? demande Benjamin.

— Non! Une momie, et elle fait très peur, ajoute Lili.

Mais Benjamin ne craint rien. Il a déjà une mamie.

Et, il a très hâte de rentrer à la maison
pour raconter tout ce qui lui est arrivé
au musée.

Benjamin et son voisinage

Benjamin sait compter jusqu'à dix à l'endroit et à l'envers et il peut réciter l'alphabet sans se tromper. Il adore dessiner et aime énormément parler de ses découvertes. Ainsi, lorsque monsieur Hibou propose le premier sujet de recherche de l'année, Benjamin est tout à fait prêt.

— Autour de nous, explique monsieur Hibou, il y a notre voisinage. Et notre voisinage est fait de maisons, de magasins et...

— ... de jardins, dit Arnaud.

— Il y a un hôpital, ajoute Odile.

— Voilà! dit monsieur Hibou. Je voudrais que demain, chacun de vous me remette un dessin de ce qu'il préfère dans notre voisinage.

— Vous, qu'est-ce que vous aimez le plus? demande Benjamin.

— L'école, répond monsieur Hibou.

Tout le monde éclate de rire.

Lorsque Benjamin rentre à la maison,
il court dans sa chambre.

— Tu veux une collation? demande sa mère.

— Non merci, répond Benjamin. J'ai un projet
à faire.

Benjamin prend ses crayons et du papier,
puis commence à réfléchir.

Il pense d'abord au magasin de crème glacée,
puis à la piste cyclable, et ensuite au terrain de soccer.

Benjamin soupire. Ça va être bien difficile de choisir
ce qu'il préfère dans son voisinage

Benjamin va trouver sa mère.

— Est-ce que je pourrais avoir ma collation maintenant? demande-t-il. Je crois que mon cerveau a faim.

Mais même après avoir mangé trois biscuits aux mouches et bu deux verres de lait, Benjamin ne sait toujours pas l'endroit qu'il préfère.

— Va te promener un peu aux alentours, suggère sa mère.

— Ça va peut-être m'aider, dit Benjamin.

Il prend ses papiers et ses crayons et part en promenade.

Dans le pré, Benjamin rencontre Lili.

— J'ai terminé mon projet, lui dit Lili. J'ai choisi
la bibliothèque et, juste après l'école, j'y suis allée pour
faire mon dessin.

Benjamin se rappelle l'heure du conte avec madame
Bernache, la bibliothécaire.

— C'est une bonne idée, dit Benjamin. C'est peut-être
ça que je vais dessiner.

Il dit au revoir à Lili et s'en va à la bibliothèque.

Benjamin est assis dans l'escalier de la bibliothèque,
quand Raffin passe.

— Tu as terminé ton projet? demande Raffin.

Benjamin secoue la tête.

— J'allais dessiner la bibliothèque, mais en chemin, j'ai vu
le cinéma. Je n'arrive pas à me décider.

— Moi, j'ai choisi le poste de pompiers, dit Raffin.

Benjamin se rappelle le jour où le chef Loup l'avait laissé
s'asseoir dans le grand camion rouge.

— C'est une bonne idée, dit-il. C'est peut-être ça que
je vais dessiner.

Il ramasse ses papiers et ses crayons et continue
son chemin.

Benjamin arrive devant le poste de pompiers lorsqu'il aperçoit Ludo.

— Tu as terminé ton projet? demande Ludo.

— Non, soupire Benjamin. J'allais dessiner le poste de pompiers, mais en chemin, j'ai vu d'autres endroits que j'aime tout autant.

— Moi, j'aime bien l'étang, dit Ludo.

Benjamin se rappelle les baignades avec ses amis, le patinage sur l'étang gelé.

— C'est une bonne idée, fait Benjamin. C'est peut-être ça que je vais dessiner.

Il salue Ludo et part vers l'étang.

Benjamin observe l'eau lorsque Martin arrive.

— Qu'est-ce qui se passe? demande Martin.

— Je n'arrive pas à me décider, dit Benjamin. Il y a trop de choses que j'aime.

— Moi, mon endroit préféré, c'est le coin des petits fruits, dit Martin.

Benjamin se rappelle tous ces moments où il est allé avec Martin cueillir des mûres.

— Tu vois? dit Benjamin. Une autre belle idée!

— Pourquoi pas le parc? suggère Martin.

Benjamin pense à tous les moments où il va glisser et se balancer avec ses amis.

— C'est ça, dit-il. Le parc!

Il dit au revoir à Martin et part vite.

La maman de Benjamin le trouve, tout seul, assis sur la bascule.

— La promenade t'a aidé? demande-t-elle.

— Pas vraiment, répond Benjamin. Il y a tellement de belles choses dans le voisinage.

Sa mère le prend dans ses bras et le serre très fort.

— Viens, allons en parler à la maison, dit-elle. J'ai préparé ton souper préféré.

Benjamin sourit.

— Au moins, ça, je sais ce que c'est.

Après la soupe au brocoli et la tarte aux mouches, Benjamin se sent mieux.

— Je peux me remettre à réfléchir, dit-il.

Puis, il demande à ses parents ce qu'ils préfèrent, eux, dans le voisinage.

— J'aime le marché du samedi matin, dit sa maman.

Benjamin sourit. Il aime bien les petits pois de monsieur Lapin et les gâteaux de madame Écureuil.

— Moi, j'aime bien mon club d'échecs, dit son papa.

Benjamin est tout à fait d'accord. Il aime bien, lui aussi, faire partie du club d'échecs.

Puis, Benjamin pense à quelque chose.

— C'est vrai que monsieur Héron déménage? demande-t-il.

Monsieur Héron est président du club d'échecs.

— Oui, c'est vrai, répond le papa de Benjamin. Il va me manquer. Sans lui, le voisinage ne sera plus le même.

Benjamin est encore d'accord. Monsieur Héron va lui manquer à lui aussi.

Tout à coup, Benjamin sait exactement ce qu'il va dessiner.

— Je sais ce que je préfère! dit-il.

Benjamin court à sa chambre et se met au travail.

Le lendemain, à l'école, tout le monde est très excité. C'est l'heure de regarder les projets.

Et c'est Mathieu qui commence.

— J'ai dessiné la rivière, dit-il.

— Moi, j'ai dessiné la forêt, dit Hubert.

Enfin, c'est au tour de Benjamin. Il déroule une très grande feuille de papier.

126

Sur la feuille, on voit le portrait de tous les gens du voisinage que Benjamin connaît.

— Je ne comprends pas, dit Lili.

Benjamin sourit.

— J'ai dessiné mes voisins, explique-t-il. C'est ce que j'aime le plus dans mon voisinage.